# Lulu-Grenadine
## aime trop
## la télévision

Laurence Gillot - Lucie Durbiano

Aujourd'hui,

Lulu-Grenadine

a invité Lou,

sa grande amie d'école.

– Est-ce qu'on peut regarder la télévision?
demande Lulu-Grenadine à sa maman.
– Et si vous jouiez plutôt à la marchande?
propose maman.

– Chez papa,
s'écrie Lulu-Grenadine,
j'ai le droit de regarder
la télé quand je veux !
– Je ne crois pas !
dit simplement maman.

Lulu-Grenadine n'est pas contente.
Elle prend Lou par la main et l'attire au salon.
Et là, elle appuie sur la télécommande
de la télévision ! Elle coupe le son et entraîne
son amie entre le mur et le canapé.

Sur l'écran, un petit garçon se brosse les dents.
Ça mousse, ça mousse énormément
et quand il parle, il envoie
du dentifrice partout !
C'est trop drôle !
Lulu-Grenadine et Lou
explosent de rire.

Soudain, la porte grince !
Vite, Lulu-Grenadine
éteint la télévision.
– Qu'est-ce que vous faites ?
s'étonne maman en entrant
dans la pièce.

– On est des lapins! invente Lulu-Grenadine.
On se repose dans notre terrier!
– Gentils lapinous! plaisante maman
en caressant la tête de Lou.

Mais quand elle voit la télécommande,
elle fronce les sourcils.
– Je crois que vous vous moquez de moi!
dit-elle calmement. Vous étiez en train
de regarder la télé en cachette!
Sortez tout de suite de là
et ne recommencez pas! Compris?

– Oui, oui ! bafouillent les fillettes.

Quelques minutes plus tard dans le couloir,
Lulu-Grenadine murmure à Lou :

– Suis-moi !

Elle prend une caisse en carton dans
le cagibi. Elle emmène Lou dans sa chambre
et, ensemble, elles découpent la boîte en forme
de… télévision! Elles dessinent les boutons et
fabriquent aussi une télécommande.

Puis, Lulu-Grenadine va vite
chercher sa brosse à dents.
Elle a mis plein de dentifrice dessus !
Elle enfile sa tête dans la télé
et commence à se brosser les dents.
Elle frotte, elle frotte, ça mousse et...
Lou rigole.

– Qu'est-ce que
vous faites encore ?
demande tout à coup
maman en pénétrant
dans la chambre.

– **O**n joue à la télé! articule Lulu-Grenadine
en crachant du dentifrice partout.
– Le tapis! se fâche maman.
Va te rincer la bouche et dépêche-toi!

Dans la salle de bains, Lulu-Grenadine
dit à Lou :
– J'ai une bonne idée, on va fabriquer
des télés pour les animaux !

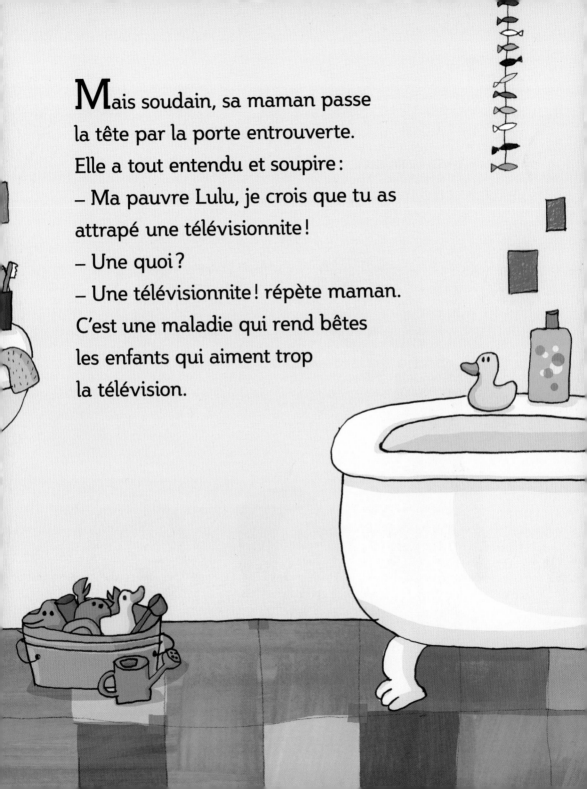

Mais soudain, sa maman passe
la tête par la porte entrouverte.
Elle a tout entendu et soupire :
– Ma pauvre Lulu, je crois que tu as
attrapé une télévisionnite !
– Une quoi ?
– Une télévisionnite ! répète maman.
C'est une maladie qui rend bêtes
les enfants qui aiment trop
la télévision.

– **F**aut prendre des médicaments ?

– Pour guérir, il faut penser à autre chose.
Voulez-vous m'aider à faire un gâteau ?

– Oui ! crient les deux amies.

En remuant la pâte, Lulu-Grenadine regarde
sa maman et s'exclame d'un air malicieux :
– Et si on faisait un gâteau… en forme
de télévision ?!

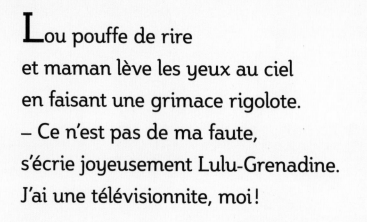

Lou pouffe de rire
et maman lève les yeux au ciel
en faisant une grimace rigolote.
– Ce n'est pas de ma faute,
s'écrie joyeusement Lulu-Grenadine.
J'ai une télévisionnite, moi !

# Retrouve les aventures de

## Lulu-Grenadine

### dans la même collection

Lulu-Grenadine
L'anniversaire surprise
Laurence Gillot
Lucie Durbiano

Lulu-Grenadine
ne veut pas aller
à l'école
Laurence Gillot
Lucie Durbiano
Nathan

Lulu-Grenadine
sauve les doudous
Laurence Gillot
Lucie Durbiano
Nathan

Lulu-Grenadine
aime la piscine
Laurence Gillot
Lucie Durbiano
Nathan

Lulu-Grenadine
en tutu
Laurence Gillot
Lucie Durbiano
Nathan

## Et bien d'autres titres encore !